Para Alberto, el auténtico e incomparable Tito.

Gracia Iglesias

© Ediciones Jaguar, 2016
C/ Laurel 23, 1º. 28005 Madrid
www.edicionesjaguar.com

© Texto: Gracia Iglesias
© Ilustraciones: Jordi Sunyer

IBIC: YBC
ISBN: 978-84-16434-35-0
Depósito legal: M-13903-2016

¡QUÉ GOLAZO!

GRACIA IGLESIAS   JORDI SUNYER

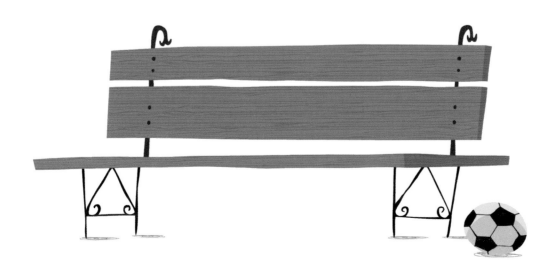

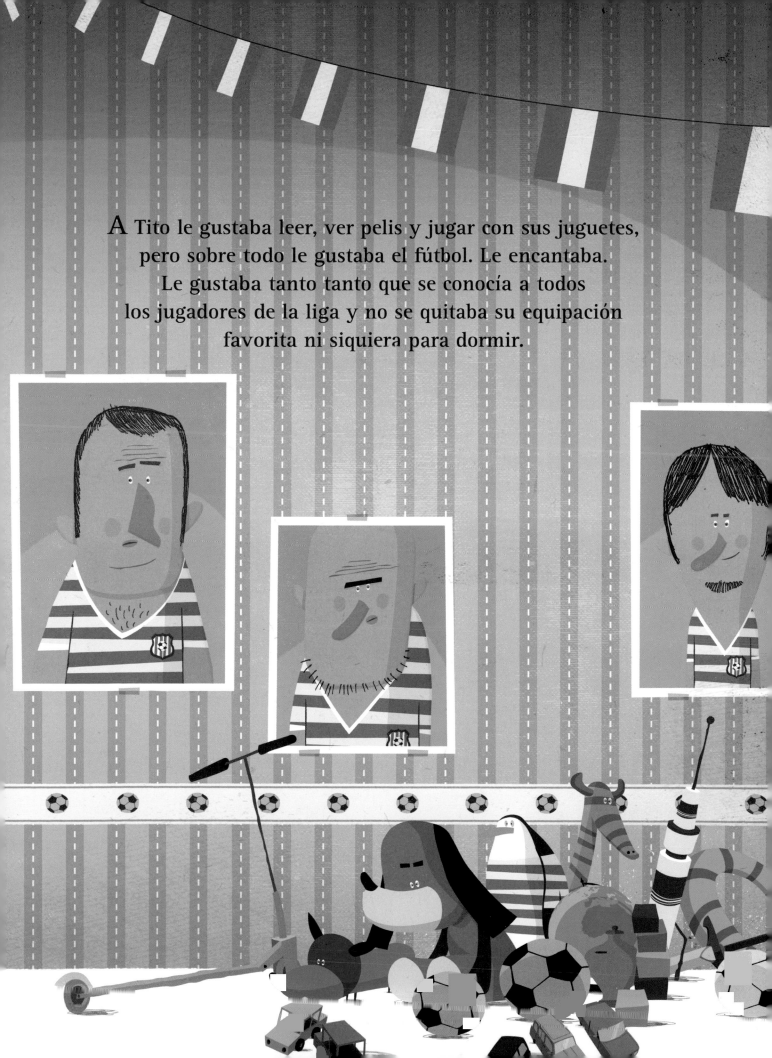

A Tito le gustaba leer, ver pelis y jugar con sus juguetes,
pero sobre todo le gustaba el fútbol. Le encantaba.
Le gustaba tanto tanto que se conocía a todos
los jugadores de la liga y no se quitaba su equipación
favorita ni siquiera para dormir.

A su familia no le importaba la pasión de Tito por el fútbol, aunque a veces resultaba... un poquito molesta.

—¡MAMÁÁÁÁÁÁ!

¡Tito me ha estropeado los deberes! —berreó Afri, colorada como un tomate.

—¡PIOJO!,
¡MI MÓVIL! —gritó
Celia, un segundo después.

—¡Tito! ¿Qué te he dicho de darle al balón en casa? ¡Baja a jugar a la pista! —le regañó su madre.

Cuando llegó, ya estaban allí Marcos, Lucía y los otros.
—¿Puedo? —preguntó Tito.
—Vale, pero te pones.
¡Qué fastidio! ¡Hasta Lila metía más goles que él! Siempre
le hacían lo mismo.

Él quería marcar goles y nunca le dejaban. Solo porque era un poco más pequeño que los demás. Pero como le gustaba tanto el fútbol, dijo que sí y corrió a colocarse en la portería, como todas las tardes.

Un día, cuando bajó a jugar, Tito encontró a sus amigos sentados en un banco con la misma cara que tendrían unos marineros a los que los piratas les hubieran robado el barco.

—¿Qué pasa? ¿Por qué no estáis en la pista?

No hizo falta que le respondieran.
En la cancha alguien gritó: "¡GOOOOOL!".
Al mirar hacia allí, vio a una pandilla de
mayores que estaba ocupándola.

Tomó aire y, con paso decidido, se encaminó hacia
el campo de fútbol.

—¿A dónde vas? —le preguntaron Lucía y Álex.

—A marcar un gol —respondió él muy seguro.

Y se estiró todo lo que podía para parecer más grande.

Al llegar al terreno de juego se colocó en la banda y,
gritando para que los jugadores le oyeran, preguntó:
—¿PUEDO?

La niña que en ese momento llevaba el balón se detuvo y lo miró de arriba abajo con cierto desprecio.

—¿Qué dices pequeñajo?

—Que si puedo entrar —repitió Tito.

—¡Eh, mirad! ¡Este garbancito quiere jugar con nosotros!

Los mayores soltaron una carcajada.

—¿Pero tú sabes meter goles? —preguntó
el más grande de todos.
—Pues claro, ¿qué te apuestas? —respondió
Tito con chulería.
—¡Ah!, así que quieres postar, ¿eh? Muy
bien. Si nos metes un gol os dejamos
el campo a ti y a tus amigos.

Ni en el último partido de la liga había
tanta expectación. Todos los amigos
de Tito se acercaron a animarle.
—¡VAMOS, TITO! ¡A POR ELLOS!

Él se sentía como una verdadera estrella del fútbol. Al verle saltar
al terreno de juego, Lila, emocionada, se lanzó tras su amigo.
Tito corría en ese momento con la mirada fija en el balón así que
no vio a la perrita que se cruzaba entre sus piernas, tropezó y...

se cayó de culo. Pero en el camino, su pie golpeó la pelota que dio a un árbol, rebotó en la cabeza del delantero del equipo contrario y entró en la portería como un cañonazo.

GOOOOOOL

Los amigos de Tito saltaron a la pista para abrazarlo como a un héroe.

—¡QUÉ GOLAZO! —repetían.

—De golazo nada, ha sido pura chiripa —protestó el chico mayor que le había desafiado.

—Da igual, he metido gol, ¿no? Así que ahora os vais y nos dejáis el campo —dijo Tito.

—Que te crees tú eso, garbancito. Nosotros nos quedamos.

Tito estaba enfadadísimo. No quería que los mayores
le pegaran, pero tampoco podía rendirse. De pronto
se le ocurrió una idea:
—Mi equipo contra el vuestro. Al mejor de cinco.
El que gane se queda el campo.

A los mayores les hizo tanta gracia aquel
desafío que decidieron aceptarlo. Estaban
segurísimos de que iban a ganar, así que
ni siquiera se molestaron en defender.

Los pequeños, en cambio, se entregaron a fondo. En cuanto Tito vio una oportunidad corrió por la banda regateando al defensa,

se plantó
ante la portería,
chutó y...

—¡Vaya potra tienes, garbancito! —gritó el portero.
Pero no les dio tiempo ni a celebrarlo. En un
contrataque fulminante, los mayores
empataron el partido.

Se habían puesto las pilas. El balón volaba de
unos pies a otros hasta que, haciendo un sombrero
por encima de la pequeña Lucía, fue a encajarse por
segunda vez en la portería. Un gol más y Tito y
sus amigos estarían perdidos.

Era un momento decisivo. No podían fallar.
Álex llevaba la pelota, dio un pase a Tito
que esquivó a dos rivales pasando entre
sus piernas y centró de rabona a Lolo
quien remató de cabeza marcando
el gol del empate.

¡ESTABAN JUGANDO DE MIEDO!

2-2

Había llegado la hora de la verdad. Quien marcara el siguiente gol ganaba. A Tito le latía el corazón a toda velocidad. El grandullón del otro equipo se abalanzó sobre él y le quitó el balón. Estaba a punto de alcanzar la meta cuando...

¡TITO!

¡ÁLEX!

¡LUCÍA, MARCOS!

Les estaban llamando para la cena, ¡qué fastidio!

—¡Pero si no hemos terminado! —protestó Tito, que aún esperaba ganar el partido.

—Oye, garbancito, no te preocupes. Lo hemos pasado muy bien, ¿sabes? Si queréis podemos repetir mañana.

Y así lo hicieron. Aunque ya sin apuestas,
solo por el simple placer de jugar.